POLAR BEAR CAFÉ

bis
[ビス]

3

ヒガアロハ

HIGA ALOHA

MENU

しろくまカフェbis ‥‥‥‥‥ 5

しろくまレシピ
④ペンネ・ゴルゴンゾーラ ‥‥‥ 47
⑤シャカシャカバター ‥‥‥‥ 117
⑥ジンジャーエール ‥‥‥‥‥ 144

スペシャルショート
①シロクマ王子とパンデレラ ‥‥ 190
②ナマケモノの真実!? ‥‥‥‥ 191

ペンギンカード ‥‥‥‥‥‥‥ 192

POLAR BEAR CAFÉ

POLAR BEAR CAFÉ

しろくま
カフェ
bis #55

議題は

大量に売れ
残っている

ペンギンカードの
販売促進について

それでは

営業会議を
はじめます

5

あ パンダさん

ボクたち
ピゴセリス属
です

えっと…
たしか
ピ…?

ジェンツー
ペンギン
です

アゴヒモペンギン

アデリーペンギン

ピ……

ピゴセリス属
です

ふーん

ペンギンカードの
販促について
話し合ってるん
ですよ

ペンギンの種類を
覚えてほしくて
作ったんですけどね

7

11

キガシラペンギンってどっかにいたよね〜

面白そうだね

このへんじゃなかった？

盛り上がってる…！

これはいけるかも!?

2セットずつ売れるから

売り上げ倍だよ！倍！

やった〜！！

本物のペンギンカードは192ページに♡

しろくまカフェの
パフェって

まじサイコー♡

ボク
コーヒー

今日はブラック
にするー

しろくま
カフェ
bis #56

しろくまカフェのは
おいしいよ?

えー でも
苦(にが)いんでしょ?

甘党↓

ブラックコーヒー
って苦(にが)くて
おいしくなくない?

ブラック
コーヒー…

おいしくなく
なくないよ?

16

しろくまカフェの
庭の端っこだし

めちゃ近っ!!

キノボリ
カンガルーさん
こんにちはー

ここ

ガリリン
ガーロロロン

しろくま
カフェ
bis #57

キノボリコーヒー

ピシーーン

ザーーッ

わー
豆が白い！

白くて薄緑！

何コレ？

カビ
生えてるの？

あたッ

22

これを煎るから

茶色になるの！

なーる

これは
コーヒーの
生豆よ！

や…ね

ボクが勧めた
ブラック
コーヒーに

感動した人♪

グフ

あの男の子
どうなったかなー

たしか
マサキくん

コーヒー焙煎士の
キノボリカンガルーさんに

弟子入りしたんだよ

へー！

誰それ？

23

火の通りが一様に
ならないでしょ

バカねー

こんなに
ちがうものっ

あ!

こういう粒が
大きすぎる豆も
取ってっ!

なんで?

大きいの
いいじゃん

ピシーン

いてッ

まだまだ
あるわよー

COFFEE

コレ全部
やるんスよね?

COFFEE

70kg

手の動きが遅い
と思うのよね

25

コーヒー豆ってナンダ!?

クワッ

オレはマサキ

キノボリカンガルーさん(←師匠)のもとで

コーヒー焙煎士の修業中です

しろくま
カフェ
bis #58

このふたつの
コーヒーを
飲んでみて

こっちは
苦い

でも後味は
スッキリ

こっちは
酸っぱくて

ちょっと
えぐい…

あちょこか…

いろんな
味がする

フクザツ…

最初に
飲んだのは浅煎り

マサキは
どっちが好き？

後味スッキリ
のほうが好き

ほら

焙煎が浅いから
豆が茶色でしょ？

それは
深煎りね

34

まずはこれぐらい
覚えとくといいわね

コーヒーは奥が
深いんだから！

師匠の好みの
コーヒーって

どんなですか？

ふーん

また
教えてあげても
いいわよ

これ

ジャクー・コーヒー

今日もコーヒー豆の
より分けよ～～♪

ガリリン ガロロロン

ガリリン ガロロロン

今日も
すべり込みねぇ

朝なかなか
起きられなくて

ねぐせ

さっ 仕事
始めましょ!

ま～

最近の若者は
飽きっぽいって
聞いてたけど

本当ね!

毎日毎日
ハンドピック
ばっかりで…

ムッ

飽きた

ピッ

ピッ

40

41

43

やっぱマズ──ッ!!

あれ…?

ぷーん

なんか臭く
なってきた

ゴクッ

焼いてる時の
いい香りに
だまされたー!

だから
安いコーヒー豆屋は

焙煎しちゃうと
見た目あまりわから
なくなるのよね

ハンドピックを
いい加減にして
たりするのよ〜

手間を省くぶん
安いってことねー

素材が大切なの
わかったでしょ?

ね? カビた豆や
成長しきってない
豆が混じると

そういうマズ〜イ
コーヒーに
なっちゃうの

45

しろくまレシピ④ ペンネ・ゴルゴンゾーラ

1人分です！

もちもち
ペンネ
大好き

鍋にお湯をわかして
塩をひとつまみ入れ
ペンネ100gをゆでる

粉末か
すりおろす

ゴルゴンゾーラチーズ	40g
パルミジャーノレジャーノ	10g ←
チーズ	
生クリーム	50cc
白ワイン	大さじ1

材料を鍋に入れて弱火に
かけ チーズをとかす
2〜3分でOK！

ペンネがゆで上がったら 水気をきり
ソースの鍋に入れる
弱火で1分ほど煮からめる

ウフフ
超簡単

あッという間に
オシャレな
カフェめし！

器に盛って
粗挽き黒こしょう
少々を かけて
できあがり

47

いれたて♡

POLAR BEAR CAFÉ

オオカミ
元気してた
か〜？

しろくま
カフェ
bis #60

トラくん！

よっ！

いや〜

ヨメの作る
メシが
うまくてな

…ずいぶん
太ったね

すこし見ないうちに…

GERS

幸せ太りかぁ

THE
GRIZZLY

52

カンパ〜イ!!

やっぱり

大企業の強みっていうか

規模も大きいし…

まあね
やりがいはあるよ

わ〜
ひさしぶりだなぁ

グリズリーバー

忙しくしてるみたいだなぁ

ずいぶん懐かしく感じるよ

そんなに経ってないのに

地方じゃ味わえない充実感があるよね

がんばって

今のうちに雑用を片づけとかないと

経理とか
経理とか
経理とか

レシート

秋になったらまた忙しくなるから

そういえばずっと

社員旅行行ってないよね

福利厚生費で落とせるじゃない

節税対策
ウフフフ

あ
そういうこと

えっ

どっか行こうか

急ですね

だって

ちなみに
社員旅行で
人気なのはね

京都で
観光・グルメ

韓国で
グルメ・エステ

← おさるの垢すり

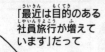

グアムで
リゾート・
ショッピング

「最近は目的のある
社員旅行が増えて
います」だって

ん～と
ほかには…

…ピンと
こないな～

さけ
鮭

グリズリーくん
いつのまに…

びっくり

北海道は
鮭だ!!

鮭は
わかったよ

どぅ
どぅ

9月になったら
解禁だー!!

行き先は一体どこになるのやら!?

少々お待ち
くださいませっ

ピュン

ご注文お決まり
でしょうか？

アイス
コーヒー

私 マンゴー
スムージー

ハイッ

menu

menu

私は自然の中が
いいと思ってるん
だけどね

野放し

そりゃ
そうだな

メンバーが
メンバーだから

大変そうで…

わかりますっ

まぁそれで

社員旅行の
行き先を検討
してたんだけど

できた！

できた～

じゃ～ん

ワク　ワク

では

審査員さんに
試食してもらい
ましょう!!

きのことプチトマトの
アヒージョです

まずは
シロクマさん
から

おいしっそ～っ!!

85

なんでかヘンな味になってたもんなあ

ちぇっ
負けちゃったな～

半田さん応援隊
任務完了！

味つけ変更作戦

大成功だったね
カワウソくん

？

ごくろー！

レッサーくん
あったま
いいす～

うふふふ

まあ
いいけどね

じつは なにも
考えてなかった

ウラっ

ボクなんか
出番なかったよ

シロクマくん
ありがとう

シャカシャカバターの
レシピは117ページに!!

やきたて！

POLAR BEAR CAFÉ

おはよう
ございま〜す

ガチャ

9:45

パンダ食

常勤パンダさん
おはよ〜

おはよ〜

そうそう！
楽しかったよ

半田さんの
お料理が
おいしくって

ビックリした〜

へー！

なんかね…

パンダくん

半田さんたちと
キャンプ行った
んだって？

94

95

98

99

さすがオレ！

アデリーくん
冴えてる！

カリスマ営業！

←アデリー
ペンギン

この不況時に
先月より
120パーセント
売上が増えました！

おお――
――！！

…これって

2コセットで
売ってるんだ
よね？

神経衰弱
だからね

じゃあ
購入者数は

アゴヒモ
ペンギン

先月より減って
るんじゃないの？

102

104

アゴヒモは小顔効果があるのでもっと流行ればいいのに…。
(byアゴヒモペンギン)

ZOO

しろくま
カフェ
bis #66

本日はお時間
いただきまして

ありがとう
ございます！

応接室

こちらの部屋へ
どうぞ

ペンギンの種類を
知ってもらうために
作成したのですが

私ども
このような…

ほ〜…

ペンギンカードの
普及を行って
おりまして

あー

よくできて
ますね
コレ…

こちらを
貴園の売店に
置いていただけ
ないかと…

そういう商品の
もちこみはよく
あるんですが

なにぶん
売場の面積が
限られているので

なかなか…

じつは私ども
ペンギンカードの
営業だけではなく…

そうでしょう
とも

そうでしょう
とも

ペンギン戦隊ショー!!

ほ～？

ホイッ

ホイッ

ホイッ

ピョン

ピョン

地球温暖化で
ペンギンたちの営巣地に
異変が起きていた

これから
南極の島々は

われら
ユーディプテス属が
支配するのだ!!

113

助けて〜！

どけー どけ

ああっ大変だ！！

悪いヤツらに…！

3羽のペンギンが立ち上がった…!!

営巣地(ルッカリー)の危機を救うため

ぁぁ〜

カッコいいっ!!

え〜

ここでバトルはじまりまして

ぁ…

ラストは…

ボクたちが相手だ!!

ジャジャ———

アデリンジャー

アゴヒモジャー

ジェンツージャー

南極戦隊(なんきょくせんたい)

ペンギンジャー

しろくまレシピ⑤　シャカシャカバター

塩2g
入れなかったら無塩バターができます

生クリーム 200ml
　乳脂肪45％以上のもの
　使う直前までよく冷やしておく
500ml の ペットボトル
　中を洗った清潔なもの

START!

シャカ
シャカ

フタをきちんと閉めたら
一心不乱に強く振る！

約3分　　生クリームがホイップ状になる

約5分　　変化がなくて不安になるけど
　　　　　めげずに振りつづける

チャポ

約8分　　急に固まりの手ごたえを感じる！
　　　　　ここからは ゆっくり 大きく振る

約10分　　固形分（バター）と
　　　　　水分（バターミルク）が分離したら
　　　　　水分をコップに取り出す
　　　　　（バターミルクは調理などに使えます）

チャポ

GOAL!

できたバターに、にんにくや
バジルを入れてアレンジ
してもおいしいよ！

カッターなどで切って
バターを取り出す

こらっ!

POLAR BEAR CAFÉ

いっしょに
淹れるんだから
同じ味!

あんなこと
言ってるわ

だから
焙煎の前に

抽出をみっちり
やらないと
ダメなのよ

個別対応とか
できないから

わがまま却下!

?

あ はい

豆ね

休憩のあとで

抽出…?

しろくまカフェへ
コレ届けて
ほしいんだな

121

どうも〜

キノポリアキー

豆届けに
きました〜

そういえば

シロクマさんの
淹れたコーヒー
おいしかったな…

え〜っと

エゾリスたちの
味の好みが
細かくて

ふ〜ん

コーヒーって
淹れ方で

味変わるもん？

どうやったら
対応できるの
かなって

…コーヒー淹れる時に

調節できること
な〜んだ?

へ!?

それはね

抽出時間	湯の温度	挽きかた	豆の種類

抽出時間
早い
ゆっくり

湯の温度
熱め
ぬるめ

挽きかた
粗挽き
細挽き

豆の種類
どんな豆を
使うか
深煎り
中煎り

この4つの条件で
味が変わるよ

へえ…

123

軽くて酸味のある
コーヒーになるのは…

濃くて苦いコーヒー
になるのは…

	豆の種類	
浅～中煎り	← 豆の種類 →	深煎り
粗い	← 挽きかた →	細かい
低い	← 温度 →	高い
早い	← 時間 →	遅い

温度と時間だけでも
味は変わるよ

だったら深煎り豆を

手早く淹れると
いいカンジ

湯の温度が高いほど	→	苦くなる
時間をかけて淹れるほど	→	苦くなる

理科の実験
みたい…

抽出と
みっちり

やっぱ淹れ方
大事か～

難しそう…

マサキくんは

スッキリ苦めの
コーヒーが
好きだったよね

覚えてるの？

そうか…

コーヒーは
好きな味に
できるんだ

エゾリスには
甘いもの
食わせよう

キ・ポリ・コーヒー

マサキまだ
帰ってこないの!?

キィッ

どこで
油売ってるの
かしら!?

忙しいの
にいっ

「ジャンプ」
買いに行ったん
じゃない!?
たしか発売日だし

ゴリリン

あ

「Cocohana」も
買ってきて
ほしいわ～

発売日は明日よっ

………

ガロロロン

🐻 一歩ずつ前へ進んでます。

コーヒー
入りました〜

あら
ホントね!

マサキ
もしかして上達
したんじゃない?

ん〜

今日のコーヒー
おいしいわぁ〜

やりィ…!

〈シロクマ伝授〉

コーヒーを
おいしいって
いわせる方法

①まず甘いものを
食べさせて

②そのあとに
コーヒーを出す!

あらそう?

マサキの
コーヒーは
苦みはあるけど

コクが足りない
カンジしない?

ズズッ

…でもアタシ

もっと まったりした
味のが飲みたいわぁ

ガーン

ゆっくり淹れれば
コクなるハズじゃ
ないのか!?

それは
濃くなる

コク…
だ…と…？

…しろくまカフェに
配達あるんだけど？

あっ はいっ
行きますっ！
行かせてくださいっ

ガタン

129

ネルは
ペーパーよりも
目が粗くて
油分を少し通すから
まろやかな味になる

コーヒープレスは
濾し取らないから
油分がそのまま
溶け込んでる

フランネルという
布地を使う

ペーパーは
油分を濾し取って
しまうから
味がスッキリしてる

それぞれの器具には
長所と短所があってね

え〜と

じゃあオレは

淹れる器具を
考えればいいって
ことか…

ネルは
手入れが面倒で
一般向きじゃないね

水につけて
冷蔵庫で
保管
(水は毎日
替える)

ペーパーは
後片付けが
ラクチンだけど

味が
安定しない

ポイ

いらっしゃい

ここ
はじめてきた

グリズリーバー…

カッコイイ
店だろ？

油断してたら
食われそうな

緊張感が
いいんだよ

ガルルル…

コクコク

しろくま
カフェ
bis #66

…コーヒー豆は
粉に挽いたら

品質がすぐに
落ちちゃうんだ

じっ…悪い豆と変わらなくなっちゃう

ゴーー

ここで挽いて
やろうか？

あ…じゃ
お願いします

師匠のコーヒー

美味しく飲んで
ほしいからさ

だから早めに
飲んでね

いや〜
バカにして
悪かったよ

いい香り〜

す〜は〜

す〜は〜

まだ嗅いでる

香り減るよ

えっ
そうなの

いらっしゃい♥

POLAR BEAR CAFÉ

土しょうが	100g	すりおろす
水	200g	
さとう	100g	
タカノツメ	1/4本	種を取って輪切り
シナモンスティック	1/2本	
グローブ	2粒	

材料を鍋に入れて火にかける
沸とうしたら 弱火にして10分煮る

火を止めてから レモン汁小さじ2
を加える

茶こしで漉す

お役立ち!

ジンジャー
シロップの
できあがり

お湯で割ったら
ホットジンジャー

炭酸水で割ったら
ジンジャエール

4倍に薄める

協力：moco moco cafe
（〜2012）

149

ホットジンジャーレシピは144ページに！

…パンダ写真
コンテスト

なんてどう？

写真？

写真コンテスト
を開催したら

みんな
パンダ館へ
きてくれるよ
写真撮りに

ほら

こんな
カンジでさ

カシャ

用事を
作れば
いいのか

そ そうかっ

ビクッ

それで
人気投票して
グランプリには…

あ 予算は
ないの！

豪華賞品とか
ムリだって

じゃあ
賞品は…

そうだ

動物園でパンダと
1日遊べる券!!

これなら予算も
ほとんど
かからないよ

ねっ

そ それは…

すごいアイディアな
気がする!!

パ アッ

いっぱい写真
撮ってもらえて

コンテストは
大好評!

159

絶対グランプリとるっ!!!

もふもふしちゃうぞ〜!

パンダくん待ってて!!

コンテストしたら

女の子いっぱいくるかなー♪

パンダくんが意外とツンデレ…!

すい〜っ

POLAR BEAR CAFÉ

ボスン

………

うおっ!!

…ペンギンが
降ってきたぞ

空飛ぶ練習か？

気絶
↓

パタ

パタ

パタ

パタ

パタ

パタ

ペンギンさん、海も空も制覇!?

しろくま
カフェ
bis #75

181

いちごショート！

POLAR BEAR CAFÉ

スペシャルショート②

[ナマケモノの真実!?]

しろくまカフェbis③／おわり

ペンギンカード

私ども このような…

ペンギンカードの普及を行っておりまして

ピゴセリス属の3羽（アデリーペンギンさん・アゴヒモペンギンさん・ジェンツーペンギンさん）が作り、

販促に一生懸命だったペンギンカード（愛称：ペンカ）。

その気になる中身はペンギン全18種類と、コウテイペンギンとキングペンギンのヒナで、計20枚! 各鳥のプチ情報とあわせておとどけします♥

え…っ 見分け つかないの…?

皇帝と王の名をもつ 大型2種! アプテノディテス属

意外と レアキャラ!!

EMPEROR PENGUIN

コウテイペンギン

南極で暮らす最大のペンギン。体長は100〜120センチ、**体重は30キロ**前後と重い。日本で会えるのは、名古屋港水族館（愛知県）とアドベンチャーワールド（和歌山県）の**2か所だけ**（2014年9月現在）。

とにかく かわいい♥

EMPEROR PENGUIN

コウテイペンギン（ヒナ）

灰色で目の周りが白く、かわいくて有名。南極はとても寒いので、ヒナたちは1か所に集まっていて、ますます**かわいい♥**

オウサマ だから!!

KING PENGUIN

キングペンギン

2番目に大きいペンギン。スマートで、フリッパー（腕）も長め。割とあたたかな南極近くの島々で、巣は作らず海岸近くの平地などにコロニー（群れ）を作っている。皆がコウテイだと思ってるのは大抵キングの**間違い**。

キウイに そっくり♥

KING PENGUIN

キングペンギン（ヒナ）

綿羽（めんう）という茶色いモコモコの羽でおおわれており、成鳥からは**想像ができない**ルックス。生育が早く、短期間で成鳥と同じくらいの大きさになる。

粋な白黒ツートンカラー！ピゴセリス属

ADELIE PENGUIN

Suicaペンギンのモデル☆

GENTOO PENGUIN

赤と黄色が差し色です♥

CHINSTRAP PENGUIN

アゴヒモで小顔!!

アデリーペンギン

目をぐるりと囲む**白いフチ取り**が特徴。若鳥はつがいごっこをしたり、他の巣にいたずらを仕掛けて怒られたりもする（ちなみに、意外と気が荒いらしい）。

ジェンツーペンギン

目から頭頂部にかけて伸びる白いライン、くちばしは赤、足は黄色と、**オシャレな配色**。性格はおっとりしていて好奇心旺盛。オスが先に巣を作り、メスを待つけなげな一面もあったりして。

アゴヒモペンギン

アゴの黒い筋が特徴で、ヒゲペンギンとも呼ばれる。比較的穏やかな気候の中で暮らしており、1羽だと弱気なのになぜか群れだと**強気**になるらしい。国内で会えるのはアドベンチャーワールド（和歌山県）と名古屋港水族館（愛知県）だけ（2014年9月現在）

日本では最も身近なペンギン スフェニスカス属

CAPE PENGUIN

胸の黒ラインは細め!

MAGELLANIC PENGUIN

胸の太細2本の黒帯がじまん♥

ケープペンギン

アフリカ大陸にいる唯一のペンギン。アフリカンペンギンともいう。顔にピンク色の部分がある。南半球の夏(1月から10月頃)の間、ずっと産卵期。その間、多ければ3回も**子育て**するがんばり屋さん。

マゼランペンギン

南米とフォークランド諸島にいるペンギン。砂地に巣を作る。ケープ、フンボルトとこのマゼランの鳴き声は**ロバ**に似ているらしい。

HUMBOLDT PENGUIN

胸の黒ラインが太めなの

GALAPAGOS PENGUIN

皆よりガングロだよ!

フンボルトペンギン

チリとペルーの海岸に生息するため、暑さに強い。日本の気候はとても暮らしやすいため、国内に1600羽以上いる**ポピュラー**なペンギン。

ガラパゴスペンギン

赤道直下のガラパゴス諸島にいる。ペンギン全種の中で3番目に小さい。換羽して身支度を整えてから交尾に臨む古風(?)な面も。日本では上野動物園(東京都)で飼育されていたこともあったが、現在はいない(2014年9月現在)。

アタマも
ハネるぜ！

ROCKHOPPER PENGUIN

激レア！

SNARES PENGUIN

イワトビペンギン

岩の上をはねて移動するのでこの名前がついた。ルックスが派手。**ロック**な見た目に反してつがいの絆が強く、「相互はねづくろい」をする**ラブラブ**ぶり。

目の下の
ハイライトが
目印！

FIORDLAND PENGUIN

スネアーズペンギン

ニュージーランドの南、スネアーズ諸島にだけ住んでいる。日本にはいない（2014年現在）。しかも自然保護のためスネアーズ諸島は上陸が禁止されていて、**会うことも出来ない**。

フィヨルドランドペンギン

ニュージーランドのフィヨルドランド一帯に生息する「**森のペンギン**」。スネアーズペンギンとほぼ同じ形で、目の下の白い筋が特徴。日本にはいないため、会うにはフィヨルドランド国立公園内でのツアーに参加するしかなさそう（2014年9月現在）。

ご自慢の
センターパート！

マカロニペンギン

真ん中わけの冠羽（かんう）が、おしゃれ。18世紀イギリスでは、イタリアの**オシャレ男子**たちを「マカロニ」と呼んでおり、彼らのヘアスタイルに似ていたためその名がついた。野生での生息数はペンギン18種の中で最も多い。

色白
センターパート♥

ロイヤルペンギン

世界自然遺産に指定されている、ニュージーランド近くのオーストラリア領マッコーリー島でのみ繁殖する。マカロニペンギンと同じ形で、**顔が白い**のが特徴。マッコーリー島は立ち入り制限区域になっており、観光では野生のロイヤルペンギンに会うのは無理。

めっちゃ
逆立ってるし！

シュレーターペンギン

黄色い冠羽が逆立っている、別名**マユダチペンギン**。日本では唯一、ノシャップ寒流水族館（北海道）で飼育されたことがある（漁船に飛び込んできた一羽が寄贈された）。ちなみにそのペンギンは28年間も生きた。現在、生息地には研究者しか立ち入りできないため、ほぼ幻のペンギン。

WHITE-FLIPPERED PENGUIN

目つき、
悪いかな…?

ペンギンの中で
小型の2種
ユーディプテューラ属

ハネジロペンギン

コガタペンギンにそっくりだが少し大きく、フリッパー（腕）の白いフチ取りが幅広め。ニュージーランドにいる。日本では飼育されていないので（2014年9月現在）、ニュージーランドでハネジロペンギンに会えるツアーなどを探すのが吉。

コガタペンギン

オーストラリアとニュージーランドの一部地域にいる。体長40センチ、体重は1キロほどの、最小のペンギン。いつでも前かがみで歩き、夜行性。葛西臨海水族館（東京都）、八景島シーパラダイス（神奈川県）、長崎ペンギン水族館（長崎県）で会える。（2014年9月現在）。

LITTLE PENGUIN

別名
フェアリー
ペンギン♥

目が黄色い
オンリーワン！

YELLOW-EYED PENGUIN

固有種に付き
一種類のみ！
メガディプテス属

キガシラペンギン

頭部は黄色く筋状の模様があり、目の色も黄色。ニュージーランドの森や草原にいる。用心深く、なかなか姿を現さないらしい。日本にはいないので（2014年9月現在）、ニュージーランドのオタゴ半島にあるキガシラペンギン保護区に会いに行こう。なんとこの保護区は個人が管理している。

あとがき

動物を描く時困るのは
大きさがすごく違う
ことです

3m

1.5m

なるたけ実物と同じ
縮寸で描きたいのですが

なかなかうまく
いきません

遠近つけて
ごまかしてみたり…

パンダに合わすと
シロクマが入らず

シロクマに
合わすと
パンダ
小さすぎ

シロクマやグリズリーは
いつもかなり小さめに
なっちゃってます

残念…

ホントの
大きさ

みんながよくいる
カフェのカウンターは

竹大盛り〜

じつはすごく段差がある
という脳内設定です

ほかにも
いろいろ…

半地下状態

へー

愛蔵版コミックス
しろくまカフェ bis ③
2014年9月30日　第1刷発行

著　者	ヒガアロハ ©Aloha Higa2014

編　集	株式会社　集英社クリエイティブ
	〒101―0051
	東京都千代田区神田神保町2―23―1
	アセンド神保町ビル
	☎03―3288―9823

発行人	鈴木晴彦

発行所	株式会社　集英社
	〒101―8050
	東京都千代田区一ツ橋2―5―10
	☎03―3230―6265（編集部）
	03―3230―6076（読者係）
	03―3230―6393（販売部）[書店専用]

印刷所	凸版印刷株式会社
装　丁	川谷デザイン

Printed in Japan　ISBN978-4-08-782825-2 C0979